SHANTALA

GROUND

livros para uma nova consciência

SHANTALA

10ª edição

São Paulo
EDITORA GROUND
2019

© Editions du Seuil, 1976

Título original: Shantala, un art traditionnel - le massage des enfants

Fotos: Frédérick Leboyer
Revisão: Antonieta Canelas
Capa e diagramação: Niky Venâncio

CIP-BRASIL. CATALOGAÇÃO-NA-FONTE
SINDICATO NACIONAL DOS EDITORES DE LIVROS, RJ

L486s
8.ed.

Leboyer, Frédérick, 1918-
Shantala : uma arte tradicional : massagem para bebês / Frédérick Leboyer ; tradução de Luiz Roberto Benati e Maria Sílvia Cintra Martins. - 8.ed. rev. - São Paulo : Ground, 2009.
il.

Tradução de Shantala : un art traditionnel, le massage des enfants
ISBN 978-85-7187-216-5

1. Massagem para lactentes. 2. Lactentes - Cuidado e tratamento. I. Título.

08-5061.   CDD: 649.122
            CDU: 649.16

14.11.08 19.11.08   009835

Direitos Reservados:

Editora Ground Ltda.
www.ground.com.br
vendas@ground.com.br
São Paulo - SP

Frédérick Leboyer

SHANTALA

uma arte tradicional   massagem para bebês

Tradução de Luiz Roberto Benati e Maria Sílvia Cintra Martins

*Dedico este livro
à minha mãe.
A todas as mães.
A Shantala.
E, por seu intermédio,
à Índia,
minha segunda mãe,
de quem tanto aprendi.*

Quem não se interrogou, um dia, sobre a vida?
Quem não procurou, alguma vez, saber o que é ela?
Perguntas bastante pretensiosas.
E sem respostas.
Todavia, para quem mais modestamente pergunta:
"Onde começa a vida? E quando?"
há uma resposta imediata, simples e evidente:
"A vida começa com o nascimento."
E toda inquietação desaparece.
Certeza?
A vida começa com o nascimento...
É mesmo?
No ventre...
No ventre de sua mãe, a criança já não está viva? Ela não se mexe?
Sem dúvida, ela se mexe. No entanto, segundo algumas pessoas,
ali só existe atividade reflexa.
Atividade reflexa! Não!
Hoje nós sabemos que, bem antes de "vir à luz", a criança percebe
a claridade. E escuta. E que, do seu cantinho escuro,
ela espreita o mundo.
Sabemos também que ela passa da vigília ao sono. E até mesmo
que sonha!
Por isso, achar que a vida começa com o nascimento é um grande erro.
Mas, então, o que é que começa quando a criança vem ao mundo?
O que é isso senão a vida?

O que começa
é o medo.
O medo e a criança
nascem juntos.
E nunca se deixarão.
O medo,
companheiro secreto,
discreto como a sombra
e, como ela, fiel, obstinado.
O medo
que não nos abandonará,
a não ser no túmulo,
para onde, com fidelidade,
nos conduzirá.

Já contei a epopéia do nascimento*.
E o nascimento do medo.
Mostrei o jovem cavaleiro andante, atacado, a partir do momento em que se arrisca a sair do refúgio, por mil monstros, sensações do mundo exterior.
Elas o esperam e o assustam com seu extraordinário rumor.
Mostrei o jovem herói quase a sucumbir, atordoado, não pelo sofrimento, mas com a surpresa e o terror.
E tentei mostrar como, com um pouco de inteligência e tato, poderíamos mudar muita coisa.

"E depois?", perguntaram-me.
O que lhe ocorreu nos primeiros dias, nas primeiras semanas?
É verdade: as provações não terminaram. A criança vai encontrar novos monstros.
Nosso Argonauta terá de travar diferentes combates.
Para bem compreender do que se trata, voltemos, uma vez mais, para trás.

* *Nascer sorrindo*. Editora Brasiliense, SP, 1979.

No ventre da mãe, a vida era uma riqueza infinita.
Sem falar nos sons e nos ruídos, para a criança todas as coisas estavam em constante movimento.

Se a mãe se erguer e andar,
se ela se virar ou inclinar-se
ou erguer-se na ponta dos pés,
se ela debulhar legumes ou usar a vassoura,
quantas ondas,
quantas sensações para a criança.
E se a mãe for descansar,
pegar um livro e sentar-se,
ou se deitar e adormecer,
sua respiração será sempre a mesma
e o marulho calmo,
a ressaca,
continua a embalar o bebê.

Depois,
passada a tempestade do nascimento,
eis a criança sozinha no berço,
ou melhor dizendo, numa dessas caminhas que são como gaiolas
de recém-nascidos.
Nada mais se mexe!
Deserto.

E o silêncio.
Repentinamente, o mundo ao redor congelou-se,
coagulou-se,
numa imobilidade completa e terrível.
E,
enquanto lá fora faz-se completo vazio,
eis que
aqui dentro
alguma porção no ventre
agarra
torce
morde...
"Mamãe! Mamãe!"
Ah, que pavor!

No ventre?
Não,
ali na escuridão!
Sim, no escuro
há um animal.
Sim, sim, um tigre, um leão...
"Eu o escuto! Eu o percebo!
Mamãe! Mamãe!"

Um animal? Na escuridão?
Prestes a saltar sobre a criança para devorá-la?

Um lobo, talvez?
Um lobo transformado em avó
e que espreita Chapeuzinho Vermelho
preparando-se para devorá-lo?

Um lobo?
Onde?
Na cama? Embaixo da cama?
Atrás do biombo?

Não!
Está bem ali no ventre.
E se chama
fome.

A fome é um monstro?
A fome é sensação agradável. Não é verdade? Porque, de fato,
com muita satisfação, a vemos repetir-se várias vezes por dia.
Para nós,
uma agradável satisfação.
Porque nós sabemos muito bem que iremos comer.

E para a criança?
O pobre bebê pode movimentar-se?
Deslocar-se até a despensa?
Como se estivesse no restaurante, pode ele gritar:
"Garçom! Garçom!"?
Ele não se cansa de chamar! E, realmente, com toda a força.
Ele berra
para mostrar que lá dentro...

E... não acontece nada!
É preciso esperar.
E sofrer.
E se inquietar... com o desassossego.
Até que, finalmente, do deserto exterior em que o mundo se fez
vem alguma coisa
que por fim aquieta
o monstro desperto
lá dentro.

Fora, dentro...
Eis o mundo dividido em dois.
Dentro, a fome.
Fora, o leite.
Nasceu
o espaço.

Dentro, a fome
fora, o leite.
E, entre os dois,
a ausência,
a espera,
sofrimento indizível.
E que se chama
tempo.

E é assim
que, tão somente
do apetite,
nasceram
o espaço
e a existência*.

* No original, lê-se *la durée*, conceito difundido por Henri Bergson e que, segundo o dicionário *Aurélio*, aplica-se à "sucessão das mudanças qualitativas dos nossos estados de consciência, que se fundem sem contornos precisos e sem possibilidades de medição". (N.T.)

Se os bebês berram sempre que acordam não é porque a fome
os atormente.
Eles não morrem de inanição.
Eles são aterrorizados pela novidade da sensação. Por essa
"coisa qualquer interior" que assume imensas proporções, justamente
porque o mundo exterior está morto.
É preciso alimentar os bebês.
Sem dúvida alguma.
Alimentar a sua pele tanto quanto o ventre.
E, além disso, nesse oceano de novidades, de desconhecido, é preciso
devolver-lhe as sensações do passado. Só elas nesse momento podem
oferecer-lhe um sentimento de paz, de segurança.
A pele e as costas não esqueceram.
Já contei como as primeiras contrações no ventre materno
aterrorizaram a criança.
Já disse como, passada a surpresa, o pequeno ser começou a amar,
a esperar por essa força que dele se apoderava, o esmagava e, por isso,
o deixava assombrado e saciado.
E como, semana após semana, o abraço ficava mais apaixonado,
mais poderoso.
Para, finalmente, culminar no delírio, a embriaguez do parto,
do trabalho.
Seria grave erro imaginar que o nascimento é necessariamente
doloroso para o bebê.
A fatalidade da dor não existe.
Não mais que a fatalidade do parto.
Assim como *dar à luz* pode ser para a mulher liberada do medo
uma experiência inebriante,
com a qual nada se pode comparar,

para o bebê, o nascimento pode ser a mais extraordinária,
a mais forte, a mais intensa das aventuras.
Seu grito é um protesto apaixonado por aquilo que um prazer tão intenso
vem interromper de modo brusco.
Eu disse como, no nascimento, era preciso segurar a criança, massageá-la.
Ao prolongar, dessa maneira, a poderosa sensação, lenta, ritmada,
ao fazê-la alimentar-se de modo pausado, evitamos a ruptura brutal,
causa de sofrimento e abstinência.
Parece à criança, então, que a contração a acompanha até à margem
para abandoná-la uma única vez, quando ela estiver bem assentada nessa
liberdade nova e embriagante.

O que fizemos no nascimento temos de repetir todos os dias,
durante semanas e meses,
visto que, por muito tempo, sempre que acorda,
o bebê espanta-se com o fato de reencontrar o mundo do avesso:
as sensações fortes "dentro" do ventre, do estômago,
e "fora", coisa alguma!
É necessário restabelecer o equilíbrio.
E alimentar o "de fora" com o mesmo cuidado que o "de dentro".
Para ajudar os bebês a atravessar o deserto
dos primeiros meses de vida,
a fim de que eles não sintam mais a angústia de estar isolados,
perdidos,
é preciso falar com suas costas,
é preciso falar com sua pele
que têm tanta sede e fome
quanto o seu ventre.

Sim!
Os bebês têm necessidade de leite.
Mas muito mais de ser amados
e receber carinho.

Sentir...
Para o nariz, sentir é perceber o mundo mais adiante do que a mão pode alcançar.
Ouvir é explorar mais longe ainda.
E ver, ah! ver... é acariciar com os olhos o universo
milhares de quilômetros ao redor.
Cada sentido fala o mundo para nós. Seu mundo. E a harmonia se faz.
Cada sentido afasta um pouco mais além as fronteiras, tornando mais vasto, mais variado e mais rico o universo.
Tocar, porém, é por aí que tudo, de modo muito simples, começou.
A língua, que sabe tantas coisas, lembra-se disso:

"É comovente... de fato, amigo, você tocou o meu coração."

Nos bebês, a pele transcende a tudo.
É ela o primeiro sentido.
É ela que sabe.
Como ela se inflama com facilidade em todas as criancinhas!
Erupções, eritemas, pústulas...
Micróbios? Infecção?
Não, não.
Mal tocadas.
Mal apoiadas. Mal cuidadas.
Mal conduzidas.
Mal amadas.
Ah, sim, é preciso dar atenção a esta pele, nutri-la.
Com amor. Mas não com cremes.

Ser levados, embalados, acariciados, pegos, massageados,
constitui para os bebês, alimentos
tão indispensáveis, senão mais, do que vitaminas,
sais minerais e proteínas.
Se for privada disso tudo
e do cheiro, do calor
e da voz
que ela conhece bem,
mesmo cheia de leite, a criança vai-se deixar morrer
de fome.

TÉCNICA

A massagem dos bebês é uma arte
tão antiga quanto profunda.
Simples, mas difícil.
Difícil por ser simples.
Como tudo o que é profundo.

Em toda arte há uma técnica.
Que é preciso aprender
e dominar.
A arte só aparecerá
depois.
De fato, ela está ali o tempo todo.
Visto que, justamente, ela está além
da existência.
Mas no momento
deixemos de nos preocupar.
E vamos à técnica.
Que é de grande precisão.

Como a criança deve estar inteiramente
despida, o importante é que a massagem seja
feita em local aquecido. O bebê não deverá
jamais sentir frio.
No verão, a massagem será feita
de preferência ao ar livre. Depois, a criança
ficará despida ao sol.

Faz-se a massagem com óleo
previamente aquecido.
É preciso rejeitar qualquer tipo de óleo mineral
e usar tão-somente óleos naturais.
Na Índia, no inverno, as mulheres usam
óleo de mostarda e, no verão, óleo de côco*.

A criança deve estar em jejum.
Quer isto dizer que a massagem não será feita
depois da mamada no peito ou na mamadeira.

---

* No Brasil podemos usar óleo de amêndoas ou de camomila. (N. E.)

A massagem será seguida pelo banho.
Que completará a sensação de profundo
relaxamento.

Ela será feita de manhã.
E poderá ser repetida à tarde, antes do sono.

A mulher deve estar sentada no chão.
Esta questão é fundamental.
Sentada no chão, mas não em
contato direto com o solo.
Pernas esticadas, costas eretas,
ombros relaxados.
Massagear a criança numa mesa,
estando a mulher de pé
ou sentada numa cadeira,
é falsear o significado profundo.
É pôr de lado a afeição.

-Você está sentada no chão, mas
não em contato direto com o solo.
Bem próximo, o óleo num pequeno
recipiente. Morno, não esqueça.
Sobre suas pernas, você estendeu
uma toalha. Embaixo dela é prudente
pôr um impermeável. O relaxamento
profundo proporcionado pela massagem
e o bem-estar que o bebê vai sentir
farão com que, muitas vezes,
ele esvazie a bexiga!
Vocês se olham.
E esse contato dos olhos é de grande
importância.
Durante a massagem é preciso
conversar com a criança.
Não exatamente com palavras.
É preferível permanecer em silêncio.
O silêncio ajuda a concentração.
E, de fato, você vai aprender
a se comunicar de outro modo.
Fique atenta.
Só pense naquilo que você está fazendo.
Esteja "ali"!
Fale com o bebê com os olhos,
com as mãos.
Com o seu ser.

Se for verão, fizer calor
ou se você estiver em sua casa
sentindo-se muito bem,
fique à vontade.
Quanto menos roupas você vestir,
mais livre estará seu corpo
e melhor ele irá trabalhar.
E, agora, não ponha nada
entre a criança e você.
Coloque o pequeno corpo
sobre as suas pernas.

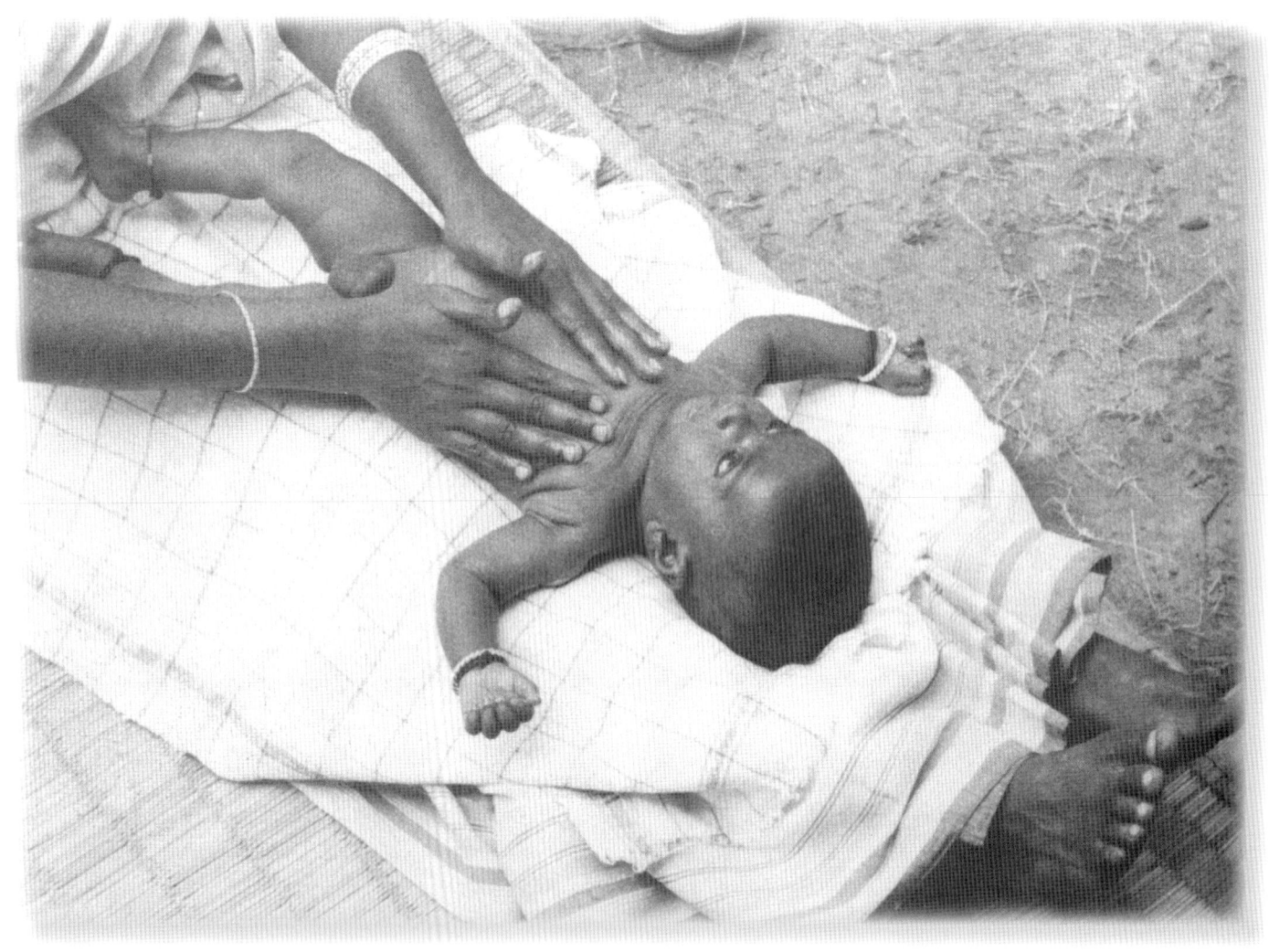

O peito

Você banhou as mãos em óleo.
Ao colocar as mãos no peito da criança, você as separou.
Cada uma delas de um lado, mas ladeando as costas.
Retornam ao ponto de partida e, a partir do centro, voltam para os lados.
Isto tudo como se, com um livro aberto à sua frente, você tivesse de deixar as páginas bem achatadas.
Suas mãos trabalham simultaneamente, mas em direções opostas.

Agora, as suas mãos vão trabalhar uma por vez.
A partir do flanco esquerdo do bebê (que está à sua direita), sua mão direita vai até o ombro oposto. Em assim fazendo, ela percorre o pequeno peito para terminar no ombro direito da criança.
Então, a sua mão esquerda faz o mesmo na direção do ombro esquerdo do bebê (que está à sua direita), e as suas mãos continuam a trabalhar desse modo, uma depois da outra, como se fossem ondas.

Você começou de modo lento,
bem de leve.
Mantendo o ritmo lento (você não
deve jamais acelerar, mas conservar o
mesmo ritmo, perfeitamente uniforme,
do começo ao fim da massagem),
mantendo essa lentidão, a pressão
das mãos acentua-se. Isto será feito
de modo natural, não intencional.
Preste atenção também no fim do
movimento: o lado externo da mão,
isto é, o lado que se prolonga no mindinho,
desliza pelo pescoço da criança.

Os braços

Agora, vire o bebê de lado.
O lado direito, por exemplo.
Com a mão esquerda você segura
delicadamente a mão da criança para
esticar o bracinho.
Com a mão direita você empalma o
ombro do bebê. Isto quer dizer que indicador
e polegar (os outros dedos continuam
como estão) vão formar um pequeno
bracelete que, aos poucos, você vai fazer
com que enlace todo o braço da criança.
Ao chegar ao final do trajeto, a sua
mão direita encontra-se com a esquerda
(que segurava a mão da criança).
A mão direita sustenta o punho do
bebê, a esquerda está livre.
Ela abandona a mãozinha e vai, por
sua vez, fechar com um círculo o ombro:
os dedos formam um bracelete que pega
todo o braço da criança.
E as mãos se revezam ao elevar-se do
ombro para a extremidade do bracinho.

As duas mãos trabalhavam uma
depois da outra. Agora, elas vão trabalhar
simultaneamente, mas em sentido inverso.
Colocando uma ao lado da outra,
elas circundam o ombro para formar,
outra vez, pequenos braceletes.
E você fará com que os dois pequenos
braceletes se desloquem do ombro
para a mão do bebê.

Em assim fazendo, as suas mãos
executam um movimento de rosca
ao redor do bracinho.

Movimento de rosca que as duas mãos
executam em sentido inverso. Como se
você torcesse o bracinho.

Ao chegar ao punhozinho, as suas mãos
voltam ao ombro e recomeçam.

O importante é demorar-se,
persistir
ao nível do punho.

A mão

Agora, você vai massagear a mão.
Primeiro, com os seus polegares,
os quais massageiam a palma
indo da mão para os dedos.
Depois, prenda os dedos e faça-os
simplesmente dobrar-se. Como se
você quisesse fazer com que o sangue
fluísse da palma para as extremidades.

O outro braço

É claro que, a seguir, você
vai fazer o mesmo com o outro braço,
depois de ter virado a criança
para o outro lado.

A barriga

Aqui as suas mãos trabalham
uma depois da outra.
Partindo da base do peito, onde se
iniciam as costelas, as mãos descem
até à parte de baixo da barriga.
Em suma, você traz as suas mãos,
uma após outra, de volta para você.
Perpendiculares ao corpo do bebê,
aqui as mãos trabalham em toda a
sua largura.
Uma vez mais elas se sucedem em
ondas parecendo esvaziar a barriga
do bebê.

Agora, a sua mão esquerda segura os
pés do bebê mantendo as pernas vertical-
mente esticadas.
E é o seu antebraço que, ao prosseguir
no mesmo vaivém, sempre de alto a baixo,
isto é, de volta para você, continua a
massagear a barriga.

As pernas

Ou, de modo mais exato, os membros inferiores.
Você vai proceder exatamente como fez com os braços.
Isto quer dizer que as suas mãos, ao formar pequenos braceletes, empalmam a coxa e, uma após outra, elevam-se pela perna até o pé do bebê.

Depois, ao trabalhar em sentido inverso, sempre circundando a perna da criança, as mãos vão elevar-se da raiz até o pé executando o movimento de rosca ou torção.

Você se demora,
persiste no nível
do tornozelo...
Não se esqueça de que
o calcanhar
é região fundamental.

Enfim, você vai massagear
a planta do pé.
Primeiro, com os polegares...

Depois, com a palma
toda da mão.

E, evidentemente,
quando tiver terminado
uma das pernas,
passará para a outra.

Agora, você vai massagear as costas
da criança.
E este, se não for "o" momento, será,
no entanto, um momento especial.
Aí você vai demorar-se também.
Pegue a criança para virá-la.
Coloque-a de bruços.
Altere a posição dela em relação a você.
Até então, ela estava em paralelo com
as suas pernas.
No momento, você a colocou na
transversal.
A cabeça do bebê acha-se à sua
esquerda.

Esta massagem das costas se faz em
três tempos.
Como você vai ver.

As costas

Primeiro tempo:
as costas, de um lado ao outro

Simplesmente você coloca as mãos nas costas da criança, na altura dos ombros.
E as suas mãos vão em frente uma depois da outra.
Como se ao fazê-lo com igual força, você preparasse uma massa com um rolo de macarrão.
Mas simplesmente não há rolo. Suas mãos trabalham em toda a largura, sobretudo com a palma.
E uma após a outra.
Para frente e depois para trás, assim vão as mãos.
Mas elas trabalham principalmente quando se movem para a frente.
E, enquanto executam esse movimento de vaivém, aos poucos elas se deslocam transversalmente.
Você começou na altura dos ombros do bebê, isto é, à sua esquerda. E pouco a pouco, as suas mãos se deslocaram para a direita. De modo que, tendo começado na região das omoplatas, você massageou, sucessivamente, a parte inferior das costas, os rins e as nádegas.

Agora, as mãos estão à sua direita. Chegaram até este ponto sem que você percebesse.
E, da mesma maneira, avançando sempre para frente e para trás, elas elevam-se pelas costas da criança. Tornam a passar pelos rins, pela parte inferior das costas e pelas omoplatas. Alcançam os ombros e recomeçam.
E este vaivém continua para frente e para trás, para a direita e para a esquerda e depois para a esquerda e depois para a direita...
Sempre como as ondas.
Tal qual a maré que sobe e desce. Infinitamente.

Segundo tempo:
ao longo das costas

Suas mãos trabalharam simultaneamente, ainda que uma após a outra.
Agora, apenas a sua mão esquerda
vai trabalhar.
Bem espalmada, a mão esquerda vai, simplesmente, percorrer as costas do bebê descendo da nuca até às nádegas.
Abandona então o corpo da criança
para elevar-se até o ponto de partida
– o alto das costas. E descer de novo.
E elevar-se uma vez mais. Como a onda.

Isto não é carícia. Não se engane com isso. Nesta mão há uma grande força. E você a vê, sente-a na mão Abençoada. Uma grande força. E uma lentidão extrema. E é nisso, nessa lentidão, que se mede a sua compreensão, a sua habilidade. Quanto mais lento e contínuo for o seu movimento tanto mais misteriosamente profundo será o efeito.

Quanto à sua mão direita, com firmeza
ela empalma as nádegas do bebê e se
opõe à pressão da mão esquerda.
A mão direita e a mão esquerda trabalham
em perfeita harmonia - uma representando
o caráter estático da energia e a outra
o caráter dinâmico.

Terceiro tempo:
ao longo das costas e até os pés

Este tempo é muito parecido com o
anterior.
A mão esquerda continua a percorrer
as costas do bebê de alto
a baixo, mas
em vez de parar
na altura das nádegas,
continua seu movimento,
percorre as coxas, as pernas,
descendo até os calcanhares.
Daí, eleva-se
e desce de novo
e torna a elevar-se...

Quanto à sua mão direita, a qual imobilizava as nádegas do bebê, agora, com delicadeza, ela sustenta os pés da criança e mantém as pernas esticadas.

A massagem das costas, momento
fundamental, terminou.
Aproximamo-nos do fim.
Coloque de novo a criança de costas,
numa paralela em relação ao seu eixo.
Agora, pode massagear...

O rosto

Comece por massagear a fronte.
A partir do meio da testa do bebê,
a ponta dos seus dedos desloca-se para
os lados contornando as sobrancelhas
e, a seguir, retorna para o meio
para recomeçar de novo.
A cada viagem, seus dedos afastam-se
um pouco mais. Quer isto dizer que
chegam às têmporas, de onde descem,
contornando o olho ao longo das
bochechas.

A base do nariz

Agora, os seus polegares, bem de
leve, sobem de novo, de um lado e
outro, para a base do nariz da criança.
E tornam a descer.
E sobem mais uma vez...
É um movimento de vaivém de baixo
para cima, depois de cima para baixo,
pouco extenso,
muito leve,
cujo momento mais íntimo é o de
baixo para cima.
Isto significa que os seus dedos
sobem de novo para a testa da criança.

As comissuras do nariz

Aplique, agora, os polegares
nos olhos fechados da criança.
É claro que a pressão deve ser
muito leve.
E, se os olhos do bebê estiverem
abertos, os seus polegares deverão
fechá-los com delicadeza.

Desse ponto, os seus polegares descem.
Seguem as linhas externas do nariz,
dirigindo-se para as comissuras da boca.
E se detêm embaixo das bochechas.

A massagem do rosto terminou.
Você vai finalizar com três "exercícios"
que estão muito próximos do Hatha-yoga.
Estamos na fonte, na raiz...

Os dois braços

Segure as mãos da criança e faça com
que os dois braços se cruzem sobre o peito.
Depois, torne a abri-los para voltá-los à
posição inicial.
Volte a cruzá-los.
Torne a abri-los...

Um braço, uma perna

Segure um dos pés do bebê e a mão do lado oposto, de modo que braço e perna se cruzem.
Isto quer dizer que o pé do bebê tocará o ombro oposto, enquanto a mão irá tocar a nádega do lado oposto.
Em seguida, reconduza as pernas à primeira posição (abrindo).
Depois, recomece (fechando).
Torne a abrir...

Padmasana

Agora, o lótus.
Segure os dois pés do bebê cruzando
as perninhas de modo a trazê-las para
a barriga.
Depois, ao contrário, "abra", ao estender
e separar as pernas e trazê-las de volta
à posição inicial.
Depois, torne a fechar, fazendo, de novo,
com que as pernas se cruzem.
Abra mais uma vez...
É preciso ter muito tato. Sensibilidade.
E ciência.
Reunir delicadeza e vigor.

E compreender bem a intenção, o sentido.
Ao cruzar os braços sobre o peito, você
libera no bebê toda a tensão que poderia
se manter nas costas. E, desse modo, libera
a caixa torácica e a respiração pulmonar.
Ao cruzar um braço com uma perna,
opor um ombro e o outro quadril, você
faz com que a coluna vertebral se sujeite
a uma inclinação e torção sobre o seu eixo,
liberando simultaneamente a coluna de
qualquer tensão.
Ao cruzar as pernas sobre a barriga, no
Padmasana, você provoca a abertura e o
relaxamento das articulações da bacia,
particularmente de suas junções com
o sacro e a base da coluna vertebral.

Aos poucos, a massagem fez com que toda a tensão muscular que poderia se manter no corpo da criança desaparecesse. Os três exercícios completarão o trabalho. Eles acentuam as distensões musculares. De fato, eles vão mais longe. Agem de modo mais profundo.
Significam uma ginástica passiva das articulações. Atuam sobre os ligamentos. Por isso, estes exercícios confundem-se com as posturas, os Asana, pois que, neste ponto, atingimos a natureza última do Hatha-yoga.

O banho

Terminada a massagem, eis o
momento ideal para o banho.
Não que você precise lavar o bebê
ou tirar o excesso de gordura: a pele
absorveu tudo.
Não. Não se trata de asseio. Mas, uma
vez mais, de bem-estar. De completa
liberação.
A água vai completar o trabalho. E,
acredite, ela é bem mais capaz que você.
É só deixá-la trabalhar.
Por mais aplicada que tenha sido a
massagem, certas tensões ou hesitações
podem ter-se manifestado no corpo da
criança. E tais tensões podem ainda estar
escondidas ao longo da pequena coluna
vertebral, nas costas, ao redor do pescoço,
na nuca ou em alguma parte do sacro.
A magia da água fará com que desapa-
reçam num piscar de olhos, com a mesma
facilidade que o sol derrete a neve.
Desde que você a deixe trabalhar.
Isto é, com a condição de saber como
dar banho. Como segurar a criança.
Ou melhor, com a condição de não a
segurar, mas simplesmente deixá-la
flutuar.
De modo que, de si, nada possa interpor-
-se entre a água e o bebê.
Aceite não ser mais que um
observador.

Para fazer a criança entrar na água,
segure-a pelas axilas.
E, tendo-a mergulhado, deixe-a flutuar.
A banheirinha, o recipiente, encontra-se
diante de você, na transversal. E a cabeça
do bebê, na água, à sua esquerda.
Não é necessário segurar o bebê,
tão somente sustentá-lo, pois que o seu corpo
flutua de modo espontâneo.
É a água que conduz e faz o trabalho.
Esse modo de sustentar o bebê é
fundamental.
O pescoço (não a cabeça) ou, para ser
mais exato, a nuca do bebê repousa
na concha do seu punho esquerdo.
A mão esquerda deve estar totalmente
aberta, completamente distendida.
O dedo médio desliza na axila do bebê.
E isto basta para impedir que o corpo
da criança escorregue.

Todavia, para ter mais confiança
(enquanto você não se sente suficien-
temente preparada), sua mão direita
virá em seu auxílio.
Ao abraçar o corpo do bebê, ela se
coloca sob o osso sacro, isto é, sob a
parte que denominamos de região lombar.

Uma última palavra: é essencial que
as duas mãos estejam relaxadas. Isto
só será possível se os seus ombros
estiverem livres de qualquer tensão.
Isto só será possível se a sua respiração...
Só assim as suas mãos irão trabalhar
em harmonia.
Entre si.
E com a criança.
Não se esqueça: o bebê é um espelho.
Ele devolve a você a sua imagem.
A imagem da sua liberdade,
Ou de suas tensões.
Para libertar o outro é necessário ser
livre você mesma.
E, de resto, o outro, você mesma...
Que outro?

Naturalmente a água do banho está
quente: na temperatura do corpo ou
um pouco mais.
Ao sair do banho, um pouco de água
fria: com sua mão, simplesmente, no
alto da cabeça, no rosto e, por fim,
nas nádegas do bebê.

Particularidades

*Gostaria que todos aqueles que se interessam por estes problemas – médicos, cirurgiões-parteiros, pediatras, enfermeiras, parteiras ou, simplesmente, mulheres e mães – lessem o livro de Ashley Montagu, *Touching*, da Harper and Row de Nova York. Gostaria de citar todo o livro, tão rico e profundo é ele.

Quando você vai começar?
Nada de massagem propriamente dita antes que o bebê tenha um mês.
É o que se diz no sul da Índia, em Kerala, onde esta massagem foi primeiro ensinada.
Mas, por outro lado, sabemos hoje da grande importância dos íntimos contatos corporais – prolongados e imediatos – entre a mãe e o seu bebê*.
Do mesmo modo, descobrimos que todos os mamíferos (e os humanos fazem parte dessa grande família) lambem com vigor os filhotes desde o nascimento. Na falta dessa massagem, com frequência, os filhotes morrem.
De modo que, entre ambos, é preciso, como sempre, encontrar a justa medida.
Digamos que, no começo, devemos tocar o bebê mais do que, propriamente, massageá-lo.
Basta que as mãos se movimentem e percorram o seu corpo. Que ele se sinta "em contato".
Naturalmente, não irá tocar a barriga enquanto a criança não tiver um mês.
E, do mesmo modo, você esperará passar um mês para tocar o rosto.
Com o decorrer dos dias, pouco a pouco, a massagem tomará forma.
Você se aproximará daquilo que o livro lhe mostra, deixando-se guiar pelas reações da criança.
Que suas mãos, no começo, sejam leves. Ainda que não sejam carícias.
E, pouco a pouco, deixe passar a força.

Isto não quer dizer "imprimir força".
A doçura, a calma, não significam
descuido ou apatia.
E a energia é livre de aspereza,
de violência, de agressividade.
Mais uma vez não se trata nem de
carícia, nem de surra.
A energia passa por você. E ela
não é sua.
É ela que a guia. Com a condição
de você estar aberta e atenta.
De algum modo, você é um
instrumento.
E essa força se comunicará tanto
melhor quanto mais distensa você estiver.
Observe como as mãos de Shantala
são livres...

Por conseguinte, veja,
sinta
quanta força,
inteligência
e cuidado
há nestas mãos.

Quem não pensaria tratar-se de uma luta?
Quem não imaginaria que Shantala,
num acesso de raiva, de loucura, não
esteja para bater ou matar o bebê!
Do amor ao ódio não há senão um passo.
Do mesmo modo que só há um passo
desta massagem para... a velha surra!
É a mesma coisa?
Claro que não!
A surra proporciona grande bem-estar...
em quem a dá.
Enquanto que aqui...
Aqui o que há é uma luta, uma batalha.
Mas trata-se de uma batalha de amor.
Onde a fúria e a ternura são uma
única coisa.
Onde se ganha certa plenitude
à medida que se dá.

De resto, que contraste
entre o poder do movimento
de Shantala,
o poder de sua mão
e o abandono, a distensão
do corpo da criança!

Quanto tempo a massagem deve durar por dia?
Quanto "tempo"? Eis aí nosso velho companheiro.
Quando o bebê só tem alguns dias, não se trata bem de "massagem", mas simplesmente de carícias, de roçar a pele.
E a sessão dura apenas alguns minutos.
Ela vai aumentar na proporção que o bebê... cresça e entre na vida.
Dia a dia, as coisas se definem, ganham maior importância.
E tempo.
Como se você se familiarizasse e fosse ficando mais hábil.
Sem dúvida você gostaria de exatidão.
E que lhe dissessem como se se tratasse de mamadeiras:
"Tantos minutos no primeiro dia.
Depois você aumenta tantos minutos por dia.
De sorte que, ao fim de uma semana, tantos minutos..."
Isto seria muito "científico".
Consequentemente, estaria perfeitamente bem na moda.
Mas a vida não tem nada a ver com "esse tempo"!
Mesmo que você queira conhecer o "tempo exato", será preciso esquecer por completo o relógio.
Pois, pouco a pouco, o tempo consagrado à massagem vai aumentar e, quando a criança aproximar-se do primeiro mês, a sessão vai durar de 20 a 30 minutos.

Vejo-a sobressaltada:
"Trinta minutos!"
"Mas eu nunca vou ter esse tempo!"
O tempo... mais uma vez, não se preocupe com isso. Ele virá.
Lembre-se, no entanto, de que a massagem deve ser feita com muita lentidão.
É com essa lentidão que se medirão a sua habilidade e a sua compreensão.
E para se chegar a esse ponto, para fazer a sessão durar tanto, você deverá se transformar numa "expert".

Até que idade?
Pelo menos nos quatro primeiros meses.
De fato, é preciso massagear a criança enquanto ela não consegue se mudar de lugar.
No dia em que já puder se virar, ficar de costas e, desse modo, distender bastante as costas e a coluna, você poderá parar.

De fato, para a felicidade
tanto de um
quanto de outro,
nada impede de ir
muito mais longe.

Como se fosse uma despedida

Você dirá: Oh! Mas isto toma um tempo!
Sim.
Como sempre esse maldito tempo é o problema.
Ou melhor, o mistério.
Pois, curiosamente, há sempre muito tempo.
O Tempo!
Para penetrar em qualquer arte, é preciso ter tempo.
Pois que em toda arte há uma técnica. Que é preciso aprender e dominar.
Técnica e aprendizagem inscrevem-se no tempo.
Mas as duas um dia estarão superadas, esquecidas, e a gente desembocará...
em alguma coisa,
que só pertence à arte.
E que estava lá
o tempo todo!

126

É preciso tempo para criar uma criança.
De resto, esse tempo, como você o teria ocupado de outro modo?
E, de fato, a quem você o dedicou?
À criança?
Desde o início, não foi a "você" que essa massagem transformou primeiro?
Quem protestou:
"Ai, minhas costas! Ai, meus rins!"
Pois foi preciso ensiná-la de novo a sentar-se no chão.
A ficar aí muito tempo. Conservando as costas retas sem tensão.
Com graça. Em equilíbrio.
Manter-se nesta difícil posição para você, os ombros livres, naturalmente livres.
E as pernas, do mesmo modo, esticadas.
Sem tensão.
E, no entanto, sem dobrar os joelhos!
Coisas tão simples para a criança de um ano.
Mas que para você...
Veja que, para libertar, é preciso que você mesma esteja livre.
Não podemos dar o que não temos.
Libertar o que?
Essa força que dorme ainda no corpo do bebê.
Essa força pronta a despertar, florescer, fluir.
Que se chama vida.
E que se torna cada vez mais forte, mais rica em você à medida que você a doa.

Não foram somente as suas costas que protestaram.
Não foram apenas elas que tiveram que reaprender.
"Vejamos, primeiro, o peito... Ah, agora o braço.
Primeiro... vejamos o livro... Ah, sim, começando do ombrinho, vamos até o punho..."
Foi assim que, com esforço, você foi do livro à criança, da criança ao livro.
Foi assim que os seus olhos erraram por aí.
E também o seu espírito, da cabeça para as mãos, das mãos para a cabeça!...
Até que, um dia, os momentos, por si mesmos, se ligaram.
Mesmo sem ter notado, as suas mãos, naturalmente, encontraram, reencontraram o caminho.
O peito. O braço. O ventre e também as pernas. E também as costas.
E também...
Tudo se pôs a fluir.
Entre os momentos, um elo. Evidente. Necessário.
O livro foi esquecido.
E a sua cabeça também!
Um verdadeiro conhecimento está ali.
Que não é um inútil amontoado de conhecimentos acumulados em seu cérebro.
Mas que está ali. Em tudo. Em suas costas. Em suas mãos.
Estas mãos que, portadoras de uma força estranha, agora seguem o caminho sozinhas, caminho esse que vem de bem mais longe que você.

Transformadas estão as mãos,
hábeis, inteligentes.
Delicadas e sensíveis.
Animadas por um ritmo tão prudente quanto inevitável.
A massagem fez-se dança.

Sim, longe de ser simplesmente um dos cuidados que dedicamos ao bebê, esta massagem é uma arte.
E, portanto, você precisará de um mestre.
E dessas coisas que não se aprendem num livro.
E esta arte é assim.
Em que lugar encontrar um mestre, aqui no Ocidente, onde esta massagem é completamente desconhecida?
Você pode ir a Calcutá, onde o acaso pôs Shantala em meu caminho.
Mas será uma longa viagem.

Talvez você não venha a ter a minha sorte. Talvez você não a encontre.
Além disso, você terá que encarar de frente um clima difícil.
E as epidemias.
E ficar. Pois que são coisas que não se ensinam num dia...
E então?
Felizmente, o mestre está aí.
Como sempre.
Tudo sempre está "aí". Bem à mão. Se soubermos olhar.
Esse mestre, mais uma vez, é o bebê.
É ele quem vai ensiná-la, instruí-la.
Com uma única condição: você ser modesta.
E bastante simples, bastante aberta para segui-lo.
Se você duvidar um instante da grande perfeição deste mestre, compare simplesmente a docilidade dele com a sua!
Compare as costas dele com as suas.
Sim, deixe-se guiar por ele!

De resto, virá um dia em que a sua massagem, finalmente, emanará da fonte.
Virá um dia em que, cada "tempo", de modo natural, simples e necessário, parecerá nascer do tempo precedente.
Como os passos de uma dança.
Então,
atingida tal perfeição,
onde estará você?
Quem massageará? Quem será massageado?
Quem guiará? Você? O bebê?
Quem conduzirá o balé?
Qualquer coisa... no interior.
Que está ali.
Que sempre esteve ali.
Adormecida, porém.
Qualquer coisa que está ali
e que sabe.

Estamos na Índia.
Mas são as palavras de Chuang-Tsé, no entanto, que retornam ao meu espírito.
Porque é verdade que a sabedoria não conhece fronteiras.
Ele diz: "Um dia o duque de Huan ia começar a ler num dos aposentos superiores do palácio, enquanto que, embaixo, Pien, o carpinteiro que cuidava das charretes, trabalhava numa roda.
Pondo de lado o martelo, o carpinteiro subiu e foi perguntar ao duque:
— O que é que o senhor vai ler?
— As palavras dos santos — respondeu o duque.
— Dos santos... Eles ainda estão vivos?
— Não — respondeu o duque. — Eles estão mortos.
— Então — disse o carpinteiro — o senhor perde tempo. Tudo o que o senhor encontrar nos livros não passará de lixo dos Anciões.
— Eu leio porque quero — replicou o duque. — E não é um carpinteiro que vai me dar conselho! Na minha grande bondade, eu ordeno que te expliques. Senão, serás levado à morte como preço a pagar por tua falta de respeito.
— Veja — disse o carpinteiro — o que o ofício ensinou ao seu servo. Quando eu faço uma roda demoradamente, o trabalho me parece agradável. Mas não é consistente. Se trabalhar rápido, ao contrário, a tarefa será cansativa. E malfeita! Não se deve ir nem rápido, nem devagar! É necessário, de fato, encontrar o ritmo adequado. Que convém à mão. E que corresponde ao coração.

Há nisso qualquer coisa que as palavras não saberiam expressar. Que eu não soube fazer meu filho compreender. E que ele, infelizmente, não conseguiu aprender.
De sorte que, apesar dos setenta anos, continuo ainda fazendo minhas rodas.
O que os Anciões não puderam transmitir está completamente morto.
E nos livros, você só encontrará lixo".

E quem é SHANTALA?

Foi em Calcutá que encontrei
Shantala.
Certamente, a boa estrela havia
guiado os meus passos.
Calcutá... O nome faz estremecer.
A mais abandonada de todas as
cidades desta Índia que é considerada
tão miserável.
Calcutá, lugar de miséria, para não dizer
de horror, onde se amontoa, sem ordem,
desmedida população, perseguida pela
guerra, atraída pelo brilho ilusório da
"cidade" ou fugida das mil e uma
calamidades que, nesse país, mais
que em outra parte, faz a árdua trama
dos dias.

Calcutá, no passado a gloriosa capital de Bengala, cidade resplandecente e invejada, agora desfigurada, odiosa, arruinada por uma dessas reviravoltas do destino que, com tanta freqüência, vemos nos acontecimentos deste mundo.
Em Calcutá, sim, ou, com mais exatidão, em Pilkhana, uma dessas favelas sórdidas que nos últimos anos se multiplicaram com o afluxo de refugiados.
A *Seva Sangha Samiti*, associação de caridade parecida com a *Frères des Hommes*, abriu nesse lugar um escritório que testemunhava como a paciência e o amor podem triunfar no coração da mais absoluta privação.
Shantala fora recolhida com os dois filhos. E ela ajudava, na medida de suas possibilidades (há alguns anos ficara completamente paralítica).
Foi lá que, numa bela manhã (como era bela!), ensolarada, resplandecente, encontrei Shantala sentada no chão a massagear o bebê.
Glória da luz e milagres do amor, quem diria!
E assim, de repente, em plena sordidez, foi-me dado contemplar um espetáculo da mais pura beleza!

Fiquei mudo.
Sorvia, em silêncio, o que presenciava.
Parecia um ritual, tão grave e investido de extraordinária dignidade
era o ato.
Parecia um balé, devido a tanta harmonia e ritmo exato, embora
de extrema lentidão.
E, como o amor, possuía seu tanto de abandono e ternura.
Fiquei deslumbrado, confuso.
O horror das ruas sórdidas que percorrera, dos pardieiros avistados,
havia sumido por completo.
Eu estava cego de tanta beleza e amor.
Na verdade, o sol, numa explosão, fizera voar tudo em esplendor
e iluminava a alegria por toda parte.
De repente, compreendi Jó e sua paciência e como ele pudera
permanecer silencioso em meio ao estrume.
"E quem é você para pedir-me explicações?"
E as palavras que toda a Índia conhece puseram-se a cantar:
"É no lodo que o lótus finca raízes,
é nas águas turvas, pútridas, que ele medra,
irresistivelmente atraído por essa luz
que ele desconhece,
mas que pressente

e que o estica
e que o atrai
e que o levanta
e o obriga a elevar-se
e que, de repente, ele encontra
quando, ao chegar à superfície,
supera.
Agora, glorioso, ele se abre
desabrocha
e, cego,
ofusca a todos
com seu indizível esplendor".

Sim, fiquei mudo pela maravilha. E confuso pela profundidade da lição.
E, de certo modo, constrangido por ter surpreendido essa troca.
Quando, depois que terminou e se deu conta de que eu estava ali, Shantala sorriu para mim, pedi-lhe, quase timidamente, permissão para vir fotografá-la.
Ela me agradeceu surpresa.
Assustada de me ver perder tempo com o que, para ela, não passava de simples tarefa diária.
Com simplicidade e amizade (eu tivera a oportunidade de ajudá-la alguns anos antes), ela aceitou.
Voltei, então, no dia seguinte.
E no outro dia.
E em outros dias mais.
De tanto que havia para ver e aprender.
Embora parecesse tão simples. Tão justo. Tão verdadeiro.
Verdadeiro.
Na realidade, a verdade é inesgotável.
Finalmente, certo dia fiz as fotografias.
Como um pintor que tentasse captar no ar, surpreender, deter, capturar o inapreensível, o que se move, o fugidio segredo da beleza.

E este segredo estava bem ali.
Feito, simplesmente, de amor e luz,
de silêncio
e gravidade.

Agradecimentos

Esta história não poderia terminar sem que os nomes de Léo e Françoise Jalais fossem mencionados.

Estes dois seres extraordinários (que a sua modéstia me perdoe), depois de se dedicarem vários anos aos *Frères des Hommes*, animaram a *Seva Sangha Samiti*, instituição de caridade bastante parecida mas devotada em particular à Índia.

Muito próximos de Madre Teresa, como ela vivendo para os pobres, com os pobres e com eles partilhando a pobreza, Léo e Françoise (acompanhados dos dois filhos) instalaram e incentivaram lares onde os mais abandonados de Calcutá recebem ajuda sem distinção de classe, casta e religião.

Ajuda e, ainda mais, aquela amizade sem a qual a vida não seria possível.

É a eles que eu devo a ocasião de ter encontrado Shantala, de quem eles continuaram a cuidar.

Que sejam profundamente recompensados por isso.

Léo e Françoise Jalais
Seva Sangha Samiti
5 Bl Roy Road
Pilkhana Howrah
West Bengal, Índia

Leia da Editora Ground

125 Brincadeiras
para Estimular o Cérebro do seu Bebê
Jackie Silberg

Este livro contém uma série de interações divertidas para desenvolver a capacidade cerebral dos bebês. Foram incluídas oportunidades do cotidiano que facilitam o desenvolvimento do cérebro no período crítico do primeiro ano de vida. Toda brincadeira e toda experiência sensorial inclui uma anotação sobre a pesquisa cerebral mais recente e a forma pela qual a atividade promove o desenvolvimento cerebral dos bebês.

125 Brincadeiras
para Estimular o Cérebro da criança de 1 a 3 anos
Jackie Silberg

Continuação natural de *125 Brincadeiras para bebês*, este livro estimula adequadamente o cérebro da criança de 1 a 3 anos com base numa coletânea diversa de atividades que preparam o seu futuro. Cantando, dançando, abraçando, conversando, cheirando ou sentindo o gosto, pais e educadores encontrarão aqui atividades que fortalecerão os circuitos dos cérebros dos pequenos, todas baseadas nas últimas pesquisas sobre a forma como as crianças aprendem.

Tirar a Fralda sem Choro e sem Trauma
Penny Warner / Paula Kelly

Guia para o treinamento livre do estresse que inclui: reconhecimento dos sinais de prontidão, ensino e premiação de cada passo do progresso, como lidar com as recaídas e, sobretudo, como tornar divertido o processo. Também mostra técnicas criativas e conta histórias de pais bem sucedidos na administração deste período específico da vida de pais e filhos.

O Filme
SHANTALA - Uma arte tradicional - massagem para Bebês
Frédérick Leboyer

Este filme foi produzido pelo próprio Fréderick Leboyer e corresponde a uma sessão completa de Ayurveda, sistema ancestral de medicina indiano, adaptado para bebês, vislumbrado por ele quando viu Shantala pela primeira vez, em Calcutá.

Apesar de ter sido filmado na mesma época em que fez as fotos que deram origem ao famoso livro SHANTALA, o autor guardou esta gravação por vários anos. Hoje, entretanto, e na medida em que muitas pessoas tornaram essa prática profissional, o filme se torna um complemento natural indispensável com relação a etapas, intensidade do toque, duração do mesmo, manuseio, alteração dos movimentos, tempo real de aplicação e conclusão da massagem.

"Aparte uma pequena introdução, não há comentários ou voz de fundo neste filme. Falar é a expressão do que a sua mente pensa. Eu recomendo que pare de pensar enquanto assiste este filme, pare de falar, aquiete a sua mente e seja pura atenção."

Frédérick Leboyer

Bebês Superespertos
brincadeiras para curtir e aprender
Jackie Silberg

Os bebês não precisam de brinquedos caros. O melhor brinquedo que você pode dar a um bebê é interagir com ele o máximo possível.

As atividades sugeridas neste livro usam material comum em qualquer casa como bolas, caixas de cereal ou outras embalagens para desenvolver cordenação motora, destreza e habilidade. A estimulação visual, por exemplo, pode aumentar a curiosidade do bebê, e também sua capacidade de prestar atenção e de concentração.

Brincando com o Yoga
Elisabetta Furlan

As técnicas do Yoga são apresentadas à criança de forma agradável e envolvente, com textos simples e ilustrações repletas de senso de humor. Quando a criança vê o simbolismo ilustrado, as práticas podem parecer bastante divertidas.

(Acompanha um sugestivo poster colorido com todas as posturas).

Do-In para Crianças
Guia prático para pais, professores, orientadores e terapeutas
Juracy Cançado

Ilustrado com inúmeras fotos e desenhos, esta obra informa minuciosamente sobre os pontos energéticos chineses desde a gestação até a fase escolar. São abordados todos os pontos de autotratamento que as crianças podem praticar, assim como o melhor momento para a iniciação.

Mandalas Ecológicas para crianças
Niky Venâncio

Pintar mandalas aumenta a concentração das crianças, melhora o seu estado de ânimo e produz uma sensação de êxito. Enquanto se divertem pintando mandalas, as suas tensões se reduzem gradualmente e elas são conduzidas a um estado de total relaxamento.

Se me Contassem o Parto
Frédérick Leboyer

Escrito na forma de um grande poema, nesta obra, o mesmo autor de *Shantala: uma arte tradicional* – massagem para bebês, prepara a parturiente para um entendimento maior do parto natural, antecedendo situações simples e complexas numa descrição original desse processo tão rico e complexo que é o parto: descrição simples, rigorosa, precisa e ao mesmo tempo poética, para não dizer espiritual, mística.

Parto Ativo
Janet Balaskas

Guia prático para o parto natural, este livro apresenta também exercícios baseados no yoga para a gravidez, que vão conduzir a mulher aos seus próprios instintos naturais para o trabalho de parto e para o parto. Paralelamente são abordados os procedimentos corporais adequados e naturais para uma gravidez saudável e prazerosa.

Yoga para Gestantes
Fadynha

Numa linguagem clara, acompanhada de imagens que emanam luz, Fadynha celebra o yoga com sabedoria e intuição, apresentando dezenas de posturas selecionadas ao longo de seus 30 anos de trabalho com gestantes, oferecendo à mãe grávida exercícios específicos de harmonização com seu corpo e suas energias sutis.